The BROONS

£2.65

D. C. THOMSON & Co., Ltd., GLASGOW : LONDON : DUNDEE

Printed and Published in Great Britain by D. C. THOMSON & CO., LTD., 185 Fleet Street, London EC4A 2HS.

ISBN 0 85116 460 9

Nae drills, nae hammers, just a tube of glue —

That's a' it needs, boasts you-know-who!

It's no' up the lum, no' under the chair —

Their haggis has vanished intae thin air!

.. but things go wrong —

When the twins come along!

A smashin' time is had by a' —

And that includes Smart Alec Paw!

Hair driers are banned, and vacuums, too —

Then guess what Paw Broon plans to do!

High jinks —

Wi' this skinnymalinks!

It started as a treat for Paw —

Then up came Maggie, and Daph, and Maw . . .

Quick as a wink —

See that pile shrink!

Poor Paw's foot seems really bad —

But soon it's Joe who's hopping . . . mad!

Help m'Boab! What's Granpaw done? —
He's being ignored by everyone!

Things look black —

When the Broons lose Mac!

Keep a straight face if ye can —

At this money-saving plan!

A slight hitch —

With the letter 'H'!

THE POSTIE'S BEEN. THERE'S BILLS FOR ME, AN' THIS ANE MUST BE FOR YOU, HEN...MR H. BROON.

EH? FOR ME?

THAT'S FUNNY! A' IT SAYS IS, "I'LL CALL FOR YOU TONIGHT—MORAG."

OOH! YE MUST HAE A SECRET ADMIRER, HEN.

HUH!

THAT NIGHT—

WELL, I'D BETTER GET READY FOR TONIGHT. I'LL BET SHE'S A REAL STOTTER!

TOO BAD YE DINNA HAE THE MAGIC TOUCH, JOE.

AWA'! I BET SHE HAS A FACE LIKE THE BACK O' A BUS!

WELL, THAT'S ME A' READY. WHIT DAE YE THINK?

OOH, YE'RE AFFY HANDSOME, HEN.

YE LOOK JUST FINE!

THAT'LL BE HER. I'M AWA' THEN, FOLKS. CHEERIO, JOE. ENJOY THE TELLY!

HMPH!

RRRRING

HELLO! IS HORACE READY? WE'RE GOING TO THE SCHOOL CONCERT TOGETHER.

HI, MORAG!

YE FORGOT ONE THING, HEN— THERE'S TWA H. BROONS IN THIS HOOSE!

BROWN

They seek it here, they seek it there —

And all the time, Paw's money's . . . WHERE?

THAT'S THE IDEA, BAIRN—PIT YER PENNIES IN THE WEE PILLAR BOX!

YE'RE A GUID WEE LASS. YER MONEY'S SAFE IN ITS BANKIE! I WISH THE REST O' THE FAMILY WERE LIKE YOU!

NEXT DAY—

COOEE, A'BODY, I'M HAME. AN' I'M READY FOR A SEAT!

AWA' AN' READ YER PAPER, THEN. THE TEA WINNA BE READY FOR HALF AN HOUR!

PAY AND BONUS

LATER—

THAT'S THE BUTCHER AT THE DOOR. I NEED MY HOOSEKEEPIN' FOR THE BILL.

AYE, AN' WHILE YE'RE AT IT, I'LL TAK' BACK THAT FIVER YE BORROWED FROM ME LAST WEEK.

POCKET MONEY, PAW.

EH? OH, HELP YERSEL' OOT O' MY WAGE PACKET, MAW.

BUT—

I CANNA SEE IT HERE . . .

IT MUST BE SOMEWHERE. I LAID IT DOON WHEN I CAME IN!

IT'S NO' ON THE TABLE, AN' IT'S NO' IN THIS DRAWER . . .

AN' IT'S NO' BELOW THE CUSHION.

ME KNOWS WHAUR YER MONEY IS, PAW.

YE DO? WHAUR IS IT, THEN?

DOON THERE!

OH, NO! QUICK, A'BODY!

SIGH!

HANG ON A MINUTE, MR POSTIE. YER PILLAR BOX IS JIST LIKE OOR BAIRN'S BANKIE, YE SEE, AND . . .

WHIT'S HE ON ABOOT?

ME THOUGHT IT WIS FOR BIG PEOPLE'S PENNIES!

Crivvens! Jings! Ye'll never guess—

What landed poor Paw in this mess!

Bell ringing? Jings, ye canna lick it —

Granpaw proves it's just the ticket!

. . . but there's one special tune —

That's liked by EVERY Broon!

A' the family want tae be —

Wi' Granpaw when he's on TV!

HELLO, MY PET. YE'RE HAME EARLY FROM THE PARK WI' GRANPAW.

AYE, GRANPAW HAD TAE GO AWA'. HE'S GOIN' TAE BE ON TELLY. THERE'S A MANNIE COMIN' TAE HIS HOOSE WI' A FANCY CAMERA.

A CAMERA?

WHISSAT? ON THE TELLY?

THEY MUST HAVE HEARD HE WON THE DRUMSHOOGLE DOMINOES CHAMPIONSHIP!

THEY'LL MEBBE WANT TAE SHOW HIS FAMILY . . !

IT'S NO' EVERY DAY WE GET A CHANCE TAE BE ON THE TELLY!

AYE, AN' THINK O' A' THAE BONNY LASSIES THAT HELP WI' THE FILMIN'!

JIST WAIT TILL THE LADS AT WORK HEAR ABOOT THIS!

THIS COULD BE MY BIG CHANCE, MAGGIE!

RIGHT! WE'LL TRY ANOTHER SHOT! KEEP YOUR EYES ON THE CAMERA, AND STAY NATURAL!

LISTEN! THEY'VE STARTED FILMIN' ALREADY!

HELLO, YOU LOT! YE'RE JUST IN TIME!

SANDY'S GOT ANE O' THAE NEW-FANGLED INSTANT CAMERAS. HE'S TAKEN A' PICTER O' ME TAE PIT ON THE TELLY. WHIT DAE YE THINK O' IT?

HO-HO!

GASP!

AW!

Granpaw's crafty, Granpaw's cute —

See how his latest ploy bears fruit!

YOU'LL shake with laughter when you see —

What's really wrong with Granpaw B!

What's the weather goin' tae be? —

Tak' a keek below and see!

A coo in the shed? —

That's what she said!

"Heads or tails" —

Brings painful wails!

Maw Broon's on a cleanin' spree —

And what's it for? Just wait and see!

BETTER HURRY — I'M AFF TAE GRANPAW'S!

A'RIGHT! SEE YE LATER.

AND SO —

HELLO, GRANPAW. I CAME AS SOON AS I COULD!

EH? IT'S YOU? I THOUGHT IT MUST BE MRS WILSON!

I'LL GET STARTED RIGHTAWAY . . . GET IT TIDY AFORE SHE COMES!

SOON —

TCH! WHIT'S THIS AULD SHIRT DAEIN' AHENT THE CUSHION? AND WHIT ABOOT YER JAICKET? IF YE'RE NO' GOIN' TAE PIT IT ON, I'LL HANG IT UP IN YER WARDROBE!

SPLOOSH!

THEN —

LIFT YER FEET WHILE I VACUUM THE CARPET!

NEXT —

WHEN DID YE LAST DUST THIS ROOM?

COUGH! SPLUTTER! SNEEZE!

THERE'S THE DOORBELL. THAT'LL BE MRS WILSON NOW.

DING! DONG!

GOOD! I'VE FINISHED JIST IN TIME!

YOU'LL BE MRS WILSON. COME AWA' IN!

HELLO, MRS WILSON. HE'S BEEN WAITIN' FOR YE!

BUT, MAW. I DINNA UNDERSTAND IT . . .

. . . I THOUGHT THE IDEA O' A HOME HELP WIS TAE GET HER TAE CLEAN THE HOOSE!

AND SO IT IS! BUT I'M NO' HAVIN' HER COME INTAE AN UNTIDY HOOSE!

Dearie me! It's just no joke —

When the tea goes up in smoke!

These draughts are causing affy trouble —

It seems that Granpaw Broon's bent double!

If only Paw Broon knew —

What the Bairn planned to do!

Hear the groans from Granpaw Broon —

Climbing UP stairs gets him DOON!

Stand by for crafty capers —

When Paw delivers papers.

See the Broons search high and low —
Then guess who's got them on the go!

Help m'Boab! Whit a to-do! —
Paw's weather forecast HAS come true!

Poor Paw Broon just canna win —

His choice o' pet brings too much din!

See the menfolks' latest gaff —

They havena half upset oor Daph!

OOH, THERE'S DAPHNE IN THAT SHOP TRYING ON A NEW HAT! I'D BETTER WARN THE LADS.

AND SO—

I'VE JIST SEEN DAPHNE TRYING ON NEW HATS. NOW I DINNA WANT YOU LOT BEIN' AS CHEEKY AS YOU WERE THE LAST TIME SHE CAME HAME FRAE THE HAT SHOP!

OH AYE, WE REMEMBER!

IT'S LIKE A PARROT. WHA'S A PRETTY BOY THEN?

HMPH!

LOOKS MAIR LIKE AN AULD CHICKEN TAE ME. ARE WE HAEIN' IT BILED OR ROASTED, DAPHNE?

OKAY, MAW, WE'LL NO' UPSET HER.

AYE, WE'LL TELL HER SHE LOOKS SMASHIN' NAE MATTER WHIT HER HAT LOOKS LIKE!

THAT'S A RELIEF!

I'VE PICKED A NICE PLAIN HAT—THE LADS WINNA HAE ANYTHIN' TAE LAUGH AT!

JT JUST THEN—

OH, JINGS, THERE GOES MY PLANT!

OOYAH!

SORRY, DAPHNE!

MY GUID NEW HAT—RUINED! I MUST LOOK AN AFFY SIGHT!

MY, THAT'S NICE, DAPHNE!

AYE, IT REALLY SUITS YER FACE!

IT'S THE BEST HAT YE'VE EVER BOUGHT!

HMPH! I SUPPOSE YOU THINK THAT'S FUNNY...OOH...YOU!

YE DAFT GOWKS.

EH? WHIT DID WE SAY WRANG THIS TIME?

Oh, whit a carry-oan —

Wi' this buddin' baritone!

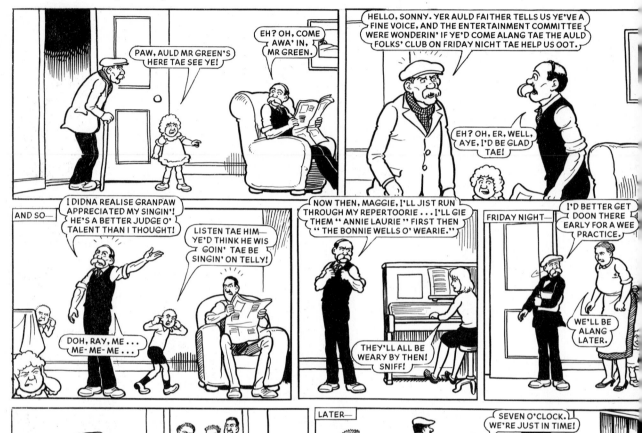

It's Granpaw Broon v. Tammy Green —

Twa funnier boxers ye've never seen.

I WIS WONDERIN', SAMMY—YOU USED TAE BE A BOXER. DAE YE HAE TWA AULD PAIR O' BOXIN' GLOVES I COULD BORROW?

AYE. I'LL GO AND GET THEM.

TA! I'LL USE THEM DOON AT THE AULD FOLKS' CLUB TODAY. THIS'LL QUIETEN AULD TAMMY GREEN!

LATER

AWA' UP TAE YER MAW, BAIRN. I'VE GOT TAE GET ALANG TAE THE AULD FOLKS' CLUB.

CHEERIO, GRANPAW.

HELLO, MAW. GRANPAW'S BEEN BORROWIN' TWA PAIRS O' BOXIN' GLOVES. HE'S GOIN' TAE BOX AULD TAMMY GREEN AT THE CLUB THIS EFTERNOON.

OH, MY!

WHISSAT?

ARE YE SURE, BAIRNIE?

OH, AYE, ME WIS THERE WHEN HE GOT THE BOXIN' GLOVES FRAE SAMMY MARTIN.

THAT MUST BE RIGHT. SAMMY'S AN EX- BOXER!

ND SO—

GRANPAW AND TAMMY GREEN ARE AYE ARGY-BARGYIN', BUT I NEVER THOUGHT THEY WOULD GET ROOND TAE A DAFT THING LIKE BOXIN'!

GRANPAW BROON, WHAUR ARE YE? AND STOP THIS BOXIN' NONSENSE, RIGHT NOW!

BOXIN'? WHIT ARE YE ON ABOOT? IT'S ME AN' TAMMY'S TURN ON THE TEA, AND THAE TIN TEAPOT HANDLES GET AFFY HOT. THAT'S WHY I BORROWED THAE BIG THICK BOXIN' GLOVES.

AYE, AWA' AN' MIND YER AIN BUSINESS!

There are warnings galore —

And then still more!

The Bairn is a right wee hoot —

When she helps the farmer oot!

AWA' YE GO THEN. GET A DOZEN EGGS FRAE THE FAIRMER.

COME ON, BAIRN.

AND SO—

EGGS, IS IT? AYE, I'LL GET THEM. YE'VE CAUGHT ME JIST IN TIME. I WIS AWA' TAE MAK' A HEN-RUN.

THERE YE ARE— FRESH-LAID THIS MORNIN'!

BRAW!

THAT'S FUNNY! WHAUR'S THE BAIRN? SHE WIS HERE A MEENIT AGO!

WEEL, SHE'S NO' IN THE SHED . . .

. . . AND SHE'S NO' IN THE BYRE.

SHE'S NO' HIDIN' UNDERNEATH THE CART, EITHER.

HANG ON—WHIT'S THAT NOISE?

SHOO, TUCKYHEN, SHOO . . .

SHOO, HENNY— SHOO!

THERE SHE IS! WHIT'S SHE UP TAE?

NOW THEN, BAIRNIE— WHIT'S A' THIS ABOOT?

ME WIS MAKIN' A HEN RUN FOR FAIRMER GREEN.

HO-HO!

Awa' goes Maw from No. 10 —

Then she's doon on her hands and knees AGAIN!

It's just nae joke —

When Paw opens that poke!

Nae TV, just peace and quiet? —
It sounds mair like a muckle riot!

Here's the funniest sight ye've ever seen —

Daphne in her "limousine"!

DREAMY

AYE, AYE! DAPH'S GOT A NEW LAD. SHE'S GOT THAT LOVE-SICK LOOK AGAIN!

COME ON, THEN, DAPH, LET'S HEAR THE GOOD NEWS!

WELL, HIS NAME'S RODGER, AND HE'S WI' THE COONCIL'S TRANSPORT DEPARTMENT, AND...OO, HE'S SMASHING!

AND LISTEN TAE THIS..! HE'S DRIVIN' DOON TAE THE PROVOST'S THE MORN—AND HE'S GOIN' TAE PICK ME UP ON THE WAY AND GIE ME A LIFT TAE MY WORK!

IT'LL BE THE PROVOST'S LIMOUSINE! JIST FANCY ME GOIN' TAE WORK IN A ROLLS-ROYCE!

NEXT MORNING

JINGS, IT'S YER WORK YE'RE GOIN' TAE, NO' A GAIRDEN PAIRTY!

HMPH! IF I'M GOIN' IN A BIG BRAW CAR, I'VE GOT TO BE DRESSED FOR THE PART!

I'M OFF TAE MY WORK AS WELL. I MICHT AS WEEL GO AN' SEE THIS LAD RODGER.

I'LL COME AS WELL. I'LL PICK UP MY MINCE FRAE THE BUTCHER WHILE I'M OOT!

AYE, COME ON!

OUTSIDE

OH, NO..!

I'VE GOT TAE DELIVER SOME HANGING BASKETS O' FLOOERS FOR THE LAMP-POSTS OOTSIDE THE PROVOST'S HOOSE. IT'S A GRAND CHANCE TAE GIE YE A LIFT ALANG THE ROAD, DAPHNE!

HO-HO! WID YE LOOK AT THAT!

Paw puts a stop to all their ploys —

Then guess who makes the loudest noise!

Hammock, maybe? Folding bed? —

No, he's got something else instead!

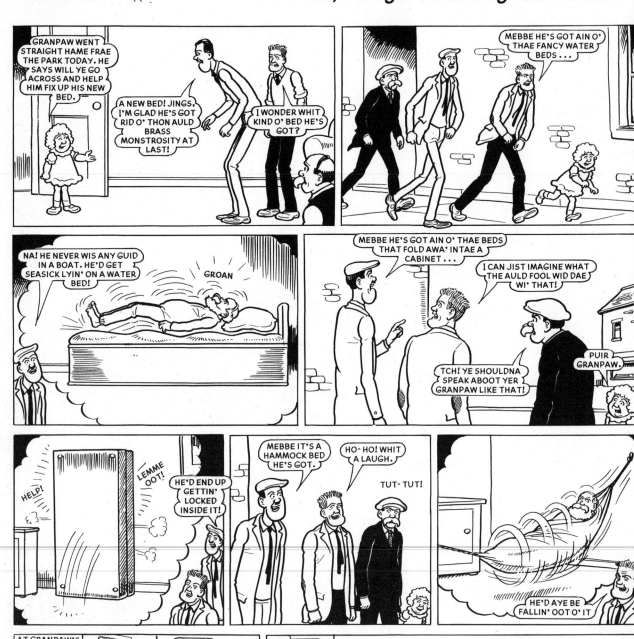

There's a "burglar" loose —

At the Broons' hoose!

ANYBODY SEEN MY DOOR KEY?

NO, I LOST MINE LAST WEEK, BUT I FOUND IT YESTERDAY...

IT'S HIGH TIME YOU LOT TOOK MAIR CARE O' YER BELONGINGS. YE NEVER KEN WHA MIGHT GET THEIR HANDS ON YER KEYS!

NEXT THING YE KEN, SOMEBODY'LL BE LETTING THEMSELVES IN TAE OOR HOOSE.

THAT EVENING —

HIGH TIME I WIZ HAME. THE TEA'S GOING TO BE LATE THE NIGHT.

HELP! THAT MANNIE'S TRYIN' TAE GET INTAE OOR HOOSE!

AYE, PAW WIZ RIGHT. HE MUST HAE PICKED UP ANE O' OOR KEYS SOMEWHERE.

SSH! WE'D BETTER GET THE BOBBIES.

YE CANNAE TRUST ANYBODY THESE DAYS!

AND SO —

HE WAS BENT DOON AT THE LOCK, TRYING A KEY, BOLD AS YE LIKE!

HE LOOKED A REAL DANGEROUS CHARACTER, OFFICER.

SANDY MACKAY, THE LOCKSMITH!

HELLO, JACK. I'VE JIST BEEN OPENING AULD BROON'S DOOR FOR HIM. HE LOST HIS KEY, AND COULDNA GET IN. I'VE BEEN TRYING A' MY KEYS WHILE HE WENT NEXT DOOR FOR A CUP OF TEA!

AND EFTER A' YOU SAID ABOOT LOSIN' KEYS, PAW BROON. YE GREAT GALOOT!

Wha's this racing through the toon? —

Is it Paw, or "mummy" Broon?

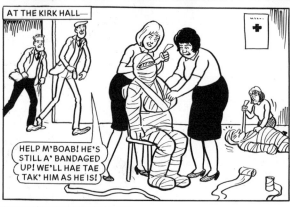

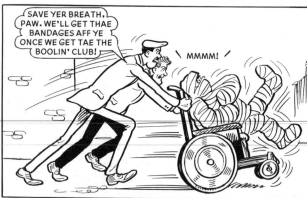

A free tea? Aye, that's Paw's plan —

But, jings, just see that caravan!

WILL WE SEE YE UP AT THE BUT 'N' BEN THIS WEEKEND, GRANPAW?

EH? OH, ER, NO. I'M TAKIN' OWER TAM REID'S CARAVAN UP AT CAIRNIE BRAE FOR THE WEEK. CHEERIO!

WELL, O' A' THE CHEEK! A WEEK AT A CARAVAN AND HE DIDN'T EVEN THINK O' ASKIN' US ALONG!

I WOULDNA BE TOO HARD ON THE PUIR SOWEL . . .

. . . THERE'S AN AFFY LOT O' US TAE FIT IN TAE ONE CARAVAN!

THAT'S NO' THE POINT! HE COULD'VE AT LEAST ASKED US UP FOR A CUP O' TEA!

IN FACT, I'LL JIST PHONE HIM AND INVITE OORSELVES UP FOR TEA ON SATURDAY. HE'LL BE HAME BY NOW!

HELLO, IS THAT YOU, GRANPAW? WE'VE BEEN THINKIN'—IT WOULD BE A RARE CHANGE FOR US TAE COME UP TAE YER CARAVAN ON SATURDAY FOR OOR TEA.

MAN, THAT'LL BE GRAND. I'LL LOOK FORWARD TAE YE COMIN'! CHEERIO!

THERE, YE SEE! IT SOMETIMES PAYS TAE TAK' THE BULL BY THE HORNS. WE'LL GET A RARE TEA OOT O' THE AULD MEANIE!

BRAW!

SATURDAY—

COME ON. GRANPAW SAID THE CARAVAN WIS JIST BESIDE THE CAR PARK ROOND THE CORNER.

BUT—

OH, NO!

FISH 'N' CHIPS

CAR PARK

NOW THEN, WHIT WIS IT YE WERE WANTIN'—THREE FISH SUPPERS, TWA WHITE PUDDIN'S, A BLACK PUDDIN' AN' A CHICKEN CURRY. THAT'LL BE SIX POUNDS FORTY! MAN, THIS IS THE BEST BUSINESS I'VE DONE SINCE I SAID I WOULD HELP TAM OOT!

A FREE TEA, EH? HO-HO! PAY UP, PAW!

The hoose is clean, they've done the lot —

They board the bus, and then . . . guess what!

Now Maw and Paw know why —

It's called a bring AND buy!

GROW a bird? —

That's not so absurd!

Daphne's got some funny —

Ways of saving money!

Tak' a look! Big Hector's bent —

On settling this wee argument!

BUS STOP

THEY'RE OFF TO THE BUT 'N' BEN —

PAW'S LATE FOR THE BUS.

HERE HE IS!

YE'RE LATE, LAD — WHIT KEPT YE?

I WIS AWA' BUYIN' A NEW BUNNET. WHIT DAE YE THINK O' IT?

SEEIN' AS YE'RE ASKING, IT'S AN AFFY COLOUR. WHIT MADE YE BUY A RED BUNNET?

RED? DINNAE HAVER! THE ASSISTANT SAID IT'S THE LATEST COLOUR — AUTUMN BROON.

WELL YE'VE BEEN DONE! IT'S RED!

YE'RE COLOUR BLIND — IT'S A BONNY SHADE O' BROON!

AT THE BUT 'N' BEN —

WE'LL GET SOMEBODY OOTSIDE THE FAMILY TAE DECIDE. I SAW HECTOR BACK THERE, WE'LL GET HIM TAE TELL US WHETHER IT'S RED OR BROON!

YE'RE ON!

I SAW HIM BACK THERE. COME ON!

IN THE NAME —

YE SEE, I WIS RIGHT. HECTOR THINKS IT'S RED TOO!

HELP, POLIS! CALL HIM AFF!

This welcome for the president —

Is not exactly what Paw meant!

Paw's face is a picture when —

He comes back to the but 'n' ben!

AT THE BUT 'N' BEN—

THAT PENT'S BEEN LYING THERE FOR WEEKS. HOW ABOOT STARTIN' ON THE WINDIES THIS WEEKEND?

EH? NA, NA, IT'LL KEEP. THE LADS AN' ME THOUGHT A' THE FAMILY WID GO UP THE GLEN FOR A WEE PICNIC.

BUT AS THEY LEAVE—

EXCUSE ME, SIR, BUT I WAS WONDERIN' IF THERE'S ANYTHING YOU'D LIKE PAINTED? I'VE JUST FINISHED DOING THE FARMHOUSE DOWN THE ROAD.

THE VERY DAB! HOW MUCH TAE PAINT OOR WEE HOOSE?

TWENTY POUNDS!

TWENTY QUID! WE CAN A' CHIP IN! YE'RE ON. COME ON, LADS, OOT WI' YER MONEY!

I'VE GOT A FIVER HERE . . .

EH? OH, WELL, OKAY.

WE'LL LEAVE YE TAE IT, THEN.

THIS IS THE LIFE! AND WHILE WE'RE SITTIN' HERE, OOR HOOSE IS GETTIN' PENTED!

AYE, IT'S WORTH THE MONEY!

LATER—

IT'S BEEN A FINE DAY—JIST PERFECT FOR THAT LAD GETTIN' ON WI' THE PENTWORK!

AYE, HE'LL BE ABOOT FEENISHED BY NOW!

BUT—

EH? OH, NO!

THERE! HOW'S THAT THEN? AS NICE A PAINTING OF YOUR LITTLE COTTAGE AS YOU'LL GET. AND FOR ANOTHER TEN POUNDS, I CAN GET IT FRAMED FOR YOU!

A BARGAIN, EH? YE CAN PAY FOR THAT YERSEL', PAW!

AYE, THAT'S A FIVER EACH YE OWE ME AN' HEN!

Oh, what a come-doon —

For poor Paw Broon.

Hen answers every question —

Until Paw asks the best yin!

WHIT'S THAT YE'RE READING, HEN?

EH? OH, IT'S A BOOK O' GENERAL KNOWLEDGE FACTS.

GO ON, ASK ME SOME QUESTIONS OOT O' IT.

HO-HO. OKAY!

RIGHT—WHIT IS THE CAPITAL OF DENMARK?

EASY—COPENHAGEN!

MY!

HERE'S A HARDER ANE—WHICH SCOT INVENTED THE TELEPHONE?

HARD? HMPH! IT WIS ALEXANDER GRAHAM BELL!

OOH!

AND I'M GREAT AT REMEMBERING DATES. 1215, THE MAGNA CARTA WIS SIGNED. 1666, THE GREAT FIRE O' LONDON—AND THE BOER WAR LASTED FROM 1899 TILL 1902. OH, AYE, I KEN A' THE DATES!

HE'S GETTIN' TAE BE A REAL SHOW-AFF!

WELL, HERE'S ONE IMPORTANT DATE YE'VE FORGOTTEN!

HUH! THERE'S NO' A DATE IN THAT BOOK I CANNA REMEMBER!

IZZATSO? WELL, HOW ABOOT THE DATE THE LIBRARIAN STAMPED IN THE BOOK . . .

GASP!

. . . YE'RE THREE DAYS OVERDUE—AT THREEPENCE A DAY!

AND THE LIBRARY CLOSES IN TEN MINUTES!

WHA'S A CLEVER DICK, THEN!?

Maw's return makes Paw quake —

It seems he's made a big mis-steak!

Telly picture upside doon? —

Just call in the youngest Broon!

Granpaw's crafty, Granpaw's fly —

Granpaw's hoppin' mad forby!

It's Big Ears' turn to grin —

When Paw Broon gets stuck in!

I DINNA KEN WHY WE HAVE TAE TRAIPSE ROOND THAE BIG STORES!

SHUSH! WE'LL NO' BE LANG. THE LASSIES WANT TAE CHOOSE NEW CURTAINS FOR THEIR ROOM.

THEN—

JINGS, IF IT'S NO' BIG-EARS BLACK. MAN, I HAVENA SEEN YE SINCE WE WERE AT SCHOOL TOGETHER!

BUT YE HAVENA CHANGED! I'D RECOGNISE THAE BIG LUGS ANYWHERE! HO-HO! D'YE MIND THE DAY WE SHOVED YER HEID THROUGH THE SCHOOL RAILINGS?

AHEM!

YE COULDNA GET OOT AGAIN BECAUSE O' YER BIG LUGS!

HO-HO!

HMPH!

MAN, THAT WISNAE HALF A LAUGH! WELL, FINE SEEIN' YE AGAIN! CHEERIO!

YE SHOULD BE ASHAMED O' YERSEL', SHOWIN' UP THAT POOR MR BLACK IN FRONT O' HIS WIFE AND ITHER FOWK!

AWA'! HE WIS AYE DAEIN' DAFT THINGS LIKE GETTIN' HIS HEID STUCK IN THE RAILINGS, ANYWAY!

THEN—

YEOWPS!

TRIP!

OH, MY!

THIS WAY, SIR! WE'LL GET OUR WORKSHOP MANAGER TO CUT YOU FREE.

WELL, WELL! LOOK WHO'S GOT HIS HEAD STUCK NOW!

Poor Daphne's exercises —

Bring LOADS o' big surprises!

Here's a big tea-hee —

With Granpaw B!

It's smashin' news — or is it? —

When two nurses come tae visit!

Granpaw stirs up lots o' fuss —

His new ploy's REALLY dangerous!

What a shock, and oh, what woe —

When Paw's auld pal says "Cheerio!"

Oot from the Bairn's mooth —

Comes the hard-hittin' truth!

Paw's just being kind tae Lizzie —

Or is he?

What a place tae choose —

Tae hae a "quiet" snooze!

Paw's scheme keeps the wee hoose dry —

But when it's time tae leave, oh, my!

AT THE BUT 'N' BEN —

IT'S LASHIN' DOON! RUN FOR IT, FOLKS!

PHEW! WHIT A DAY!

GET THE KETTLE ON, SOMEBODY!

HERE! LOOK AT THAE PUDDLES COMIN' AFF THAE BROLLIES!

THE RAIN'S AFF! I'LL GET THAE NAILS IN THE WA'! IN FUTURE, YE'LL HANG YER BROLLIES UP TAE DRIP OOTSIDE!

WHIT A DAFT PLACE TAE KEEP BROLLIES!

IT'S NO' DAFT AT A'! IT'LL KEEP THE INSIDE O' THE HOOSE DRY!

NEXT DAY —

AW, NO, IT'S RAININ' AGAIN. AND IT'S TIME WE WERE AWA' FOR THE BUS!

QUICK, GRAB YER BROLLIES. IT'S TEEMIN' DOON!

BUT —

ACH!

HELP!

SHEESH!

OOH!

JINGS!

CRIVVENS!

YE DAFT GOWK! YE GOT US TAE HANG OOR BROLLIES UP RICHT BENEATH THAT LEAKIN' GUTTER!

AYE, AND IT FILLED THEM WI' WATER!

YE MEBBE KEPT THE HOOSE DRY — BUT YE SOAKED US!

Noisy Bairn and twins? —

Just see the ither yins!

See the mighty muscle men —

Then see the champ o' No. 10!

Paw Broon's no' half fly —

When it comes tae D.I.Y.

Ower Buchtie Brae, then roond the glen —

Who'll be first back at the but 'n' ben?

Ho-ho —

Quick, quick, ho!

"Queue" here for a laughalot —

Their snooker plans a' go tae pot!

The Broons prepare a celebration —

And then, oh jings, there's consternation!

A mither's job is never done —

But now Maw's got THEM on the run!

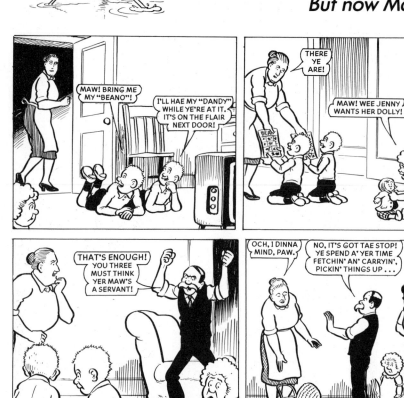

Tak' a look! Ye're sure tae smile —

This artist's work stands oot a mile!

The table's groanin'! Jings, it's braw —

And guess wha's goin' tae scoff it a'!

MAW, ME'S BEEN PLAYIN' WI THE NEW FAMILY THAT'S MOVED IN DOONSTAIRS. CAN ME HAE A WEE PAIRTY THE MORN?

EH? OH, AYE. WHA'S TAE COME?

WE-ELL, THERE'S MARY, ANNE, ELIZABETH, JANE . . .

JINGS, WHIT A FAMILY! ACH, WEEL, WE MICHT AS WEEL HAE THEM A' IN!

NEXT DAY —

SUPERMARKET

WE'D BETTER GET IN SOME FOOD FOR THE BAIRN'S PAIRTY.

WE'LL NEED A LOT O' ICE-CREAM FOR MARY, ANNE, ELIZABETH, JANE . . .

THAT'S RIGHT, BAIRN, YOU CHOOSE!

LOTS O' CAKES AND BISCUITS . . .

LATER — YE'LL JIST HAE TAE GO INTAE THE ITHER ROOM. THE BAIRN'S HAEIN' A' THE NEW LASSIES FRAE DOONSTAIRS IN FOR A PAIRTY.

HMPH!

ACH!

RRRRRING

THAT'LL BE YER GUESTS, BAIRN. OPEN THE DOOR.

MAW, THIS IS MARY, ANNE, ELIZABETH, JANE, FRAE DOONSTAIRS. HASN'T SHE GOT A LOT O' MIDDLE NAMES?

MY MITHER JIST CA'S ME MARY . . .

THE WEE MONKEY! SHE DID THAT ON PURPOSE, TAE GET A' THAE EXTRA CAKES AN' THINGS!

INNOCENCE

HO-H

HA-HA!

The lads are in a sorry plight —

You can see it here, in black and white!

Help m'Boab! It's plain tae tell —

Paw's pretty guid at tricks himsel'!

Nae need tae search a' through the toon —

Jist leave it a' tae wee Miss Broon!

HUH! GRANPAW. DOESNAE SEEM TAE BE IN.

I HAVENA SEEN HIM A' DAY.

HE'LL BE AT THE AULD FOLKS' CLUB.

NO, HE HASNAE BEEN HERE TODAY.

HMM, MEBBE'S HE'S DOON AT THE PARK.

NO, BROON HASNAE BEEN HERE A' DAY...

IT'S NO' AS IF WE WANTED HIM FOR ANYTHING SPECIAL...

...BUT NOW THAT WE CANNA FIND HIM, WE'RE GETTIN' WORRIED!

AT HOME —

THAT'S RIGHT, WE'VE HUNTED HIGH AN' LOW, BUT NAEBODY'S SEEN HIM.

I HOPE HE'S A'RIGHT. I WISH WE COULD SEE HIM JUST TAE MAK' SURE.

ME FIX IT IF YE WANT TAE SEE GRANPAW...

WHA'S FOR A NICE CUP O' TEA?

NUTES LATER —

HELLO, YOU LOT! AH, JIST IN TIME FOR A CUPPY, EH?

HO-HO! IT NEVER FAILS!

SEE!

. . . *but it's not the O.A.P.'s —*

Who are on their knees!

Michty me! Whit a laugh —

Here's a "false" alarm, no' half!

Hen's the lad tae ask —

He's up tae this task!

WASHDAY.

THAT'S THE WASHING OOT.

AYE, IT'S A FINE DRYING DAY.

JUST THEN —

JINGS! THEY'LL TRAIL ON THE GROUND WITHOUT THE PROP.

SNAP!

JUST LEAVE IT TO ME, MAW, I'LL MAKE IT AS GOOD AS NEW!

HM . . . WELL, NO' QUITE.

OH, GIVE IT HERE.

I'LL MAKE A PROPER JOB OF IT.

TOOLS

BUT—

MICHTY!

WE'RE USELESS. WE'LL HAE TO GET HEN. HE'S THE LAD FOR THE JOB!

EH? WELL, I'M GLAD YOU'VE GOT ROOND TAE ASKING AN EXPERT!

HANG ON — EVEN AN EXPERT LIKE ME NEEDS TOOLS.

NO' FOR WHIT I HAVE IN MIND, LAD!

STOP COMPLAININ'. IT'S ONLY TILL WE GET DOON TAE THE IRONMONGER'S TAE BUY A NEW ANE.

YE A' JUST TAK' ADVANTAGE O' MY GUID NATURE!

Broken string, crumbling plaster —

This wee job's a real disaster!

Granpaw's actin' affy queer —

He's a proper Charlie here!

There's trouble for Paw Broon —

When he tries tae change his tune!

It's freezin' cauld, a frosty day —

Time tae visit Brander Brae!

I'VE A MESSAGE FOR YER AULD GRANDFATHER. TELL HIM BRANDER BRAE IS LIKE A SHEET O' GLASS EFTER A' THIS FROST.

SLIPPY, EH? AYE, THANKS, WE'LL TELL HIM!

AND IF YE SEE ANY O' HIS CRONIES, SPREAD THE NEWS!

AYE, WE'LL DAE THAT!

PUIR AULD SOWELS. BRANDER BRAE'S NO' VERY FAR FRAE THE AULD FOLKS' CLUB. IT WINNA BE SAFE TAE GO OOT!

NEWSAGENT

NEW
ICY ROADS BRING SPATE O' FALLS

AND SO—

LIKE A SHEET O' GLASS, HE SAID. WE'D BETTER GO ROOND TAE A' THEIR HOOSES AND TELL THEM IT'S NO' SAFE TAE GO OOT.

WE'LL DAE BETTER THAN THAT — WE'LL TAK' A BAG O' SALT TAE BRANDER BRAE AND MELT THE ICE!

LUCKY WE HAD THIS AULD PRAM IN THE WASH-HOOSE.

AYE, AND IT WIS A GUID IDEA GETTIN' A LOAD O' SAND FRAE THE BUILDER'S . . .

SALT

WE HAVENA SEEN ANY O' GRANPAW'S CRONIES.

WELL, YE CANNA BLAME THEM FOR NO' GOIN' OOT. THAE ICY ROADS ARE TREACHEROUS!

SALT

SUDDENLY—

WAHEY!

LISTEN! THAT SOUNDS LIKE GRANPAW!

SO YE HEARD ABOOT OOR SLIDE ON BRANDER BRAE, DID YE? WELL, YE'LL HAE TAE GET IN THE QUEUE!

AYE, WE'VE WAITED A' WINTER FOR THIS!

WHEE!

SEE MY GRANPAW!

HO-HO!

HA-HA!

WID YE CREDIT IT!

Paw Broon's fair bamboozled when —

It's dressin' up time at No. 10!

Shoes o' different shapes and sizes —

Dinna half bring big surprises!